HELLO MAREN ET OWEN !
Amitié
2016

DERIB + JOB

COULEURS : DOMINIQUE

LE LOMBARD
BRUXELLES

D/2012/0086/157
ISBN 978-2-8036-3146-9

R 11/2015

Dépôt légal : août 2005
Imprimé en Union européenne par Canale

LES ÉDITIONS DU LOMBARD
7, AVENUE PAUL-HENRI SPAAK
1060 BRUXELLES - BELGIQUE

YAKARI
AU PAYS DES LOUPS
DERIB + JOB
À L'APPROCHE DE LA SAISON FROIDE, LA TRIBU DE YAKARI SE DÉPLACE VERS LES RÉGIONS BOISÉES...
...CETTE PISTE...
3 VI 81

?
... CES ROCHERS ...
... LA RIVIÈRE AVEC SES PEUPLIERS ...
... PLUS DE DOUTE !
LOUP TOURMENTÉ CHERCHE-T-IL QUELQUE CHOSE ?
NON.
LOUP TOURMENTÉ CACHE QUELQUE CHOSE ...

LE CAMP À PEINE INSTALLÉ, LA NEIGE TOMBAIT...

...ÇA S'EST PASSÉ LÀ-BAS, OÙ LE SOLEIL SE COUCHE...

...TROIS HIVERS DÉJÀ... JE M'EN SOUVIENS COMME SI C'ÉTAIT LA VEILLE DE CE JOUR...

PLUS TARD...
YAKARI, YAKARI! IL Y A ASSEZ DE NEIGE, MAINTENANT!

ALLONS SUR LA COLLINE !

YAA !

YAA-AA ! JE SUIS LE PLUS RAPIDE !!

PAF
HA ! HA ! HA ! HA !
OH ! REGARDEZ !

LÀ-BAS !
JE NE VOIS RIEN...
MOI NON PLUS !
MAIS SI... ON AURAIT DIT UN COYOTE, SUR LE ROCHER...
TON COYOTE, C'ÉTAIT PEUT-ÊTRE UN LOUP...

JE VAIS VOIR...
YAH !
UN LOUP ?
IL VAUT MIEUX RENTRER AU CAMP ...

JE NE ME SUIS PAS TROMPÉ...
...C'EST BIEN UN LOUP!
DONC, IL Y EN AURAIT TOUJOURS ICI...

PENDANT CE TEMPS, AU CAMPEMENT...
...ET IL A DIT À ARC-EN-CIEL QUE C'ÉTAIT PEUT-ÊTRE UN LOUP...

J'ESPÈRE QU'IL SE TROMPE...

* VOIR "YAKARI ET GRAND AIGLE"

LE LENDEMAIN...
YAKARI, IL N'Y A PRESQUE PLUS DE BOIS. VA EN RAMASSER DANS LA FORÊT.

?
UN PEU TARD POUR FAIRE SES RÉSERVES!

MOI, IL Y A LONGTEMPS QUE C'EST FAIT, ET...
!

?!

MAIS ... QU'EST-CE QUI LUI A PRIS ?

UN... UN LOUP !

MAIS... IL BOITE !

!
UN LOUP... C'ÉTAIT UN LOUP !
?

JE VIENS DE LE VOIR DANS LA FORÊT !

IL M'A REGARDÉ...
ET ALORS ?

IL EST REPARTI... J'AI VU QU'IL BOITAIT...

TU DIS QU'IL BOITE ?

EUH... OUI. IL MARCHAIT SUR TROIS PATTES...
C'EST LUI !

IL ÉTAIT LÀ-BAS, DANS LE BOIS, PRÈS DES DEUX GRANDS SAPINS...

LÀ !
SA TRACE !

CETTE FOIS, IL NE M'ÉCHAPPERA PLUS !

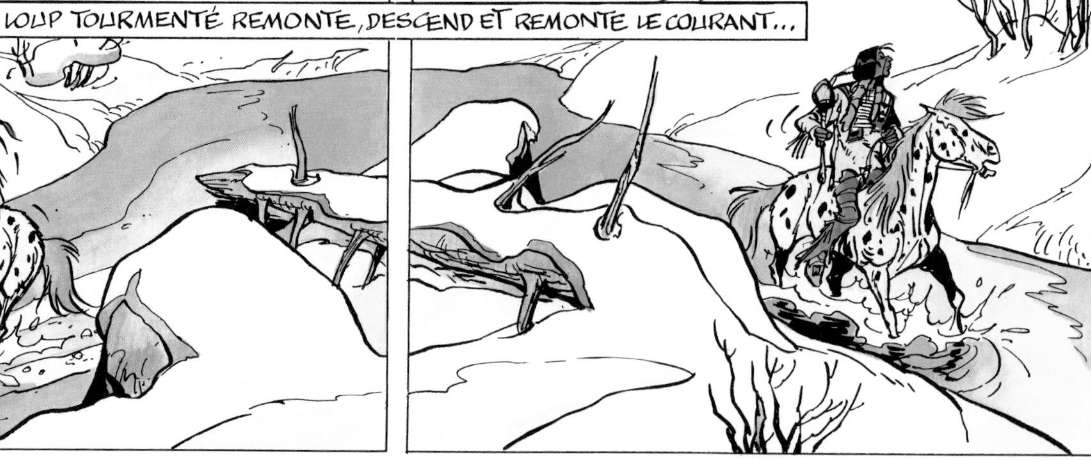
LOUP TOURMENTÉ REMONTE, DESCEND ET REMONTE LE COURANT...

?!

C'EST ICI QU'ILS VIENNENT BOIRE... IL EST MALIN...

... IL SAVAIT OÙ IL DEVAIT TRAVERSER POUR FAIRE PERDRE SA TRACE !

IL DOIT SENTIR QUE JE LE RECHERCHE...

TU ES RUSÉ, MAIS TA TRACE, JE LA RETROUVERAI !
YAA !

TU CROIS QU'IL L'A VU ?

EN TOUT CAS, IL A L'AIR ÉNERVÉ ...

?
LOUP TOURMENTÉ A MIS SA COIFFE DE CHASSE ...

...LOUP TOURMENTÉ DEVRAIT OUBLIER LES LOUPS.

LOUP TOURMENTÉ NE PEUT PAS OUBLIER !

YAA !
UNE IDÉE FOLLE LE POURSUIT ...

CETTE NUIT-LÀ, UN LOUP SAVAIT OÙ IL ALLAIT...

...LOUP TOURMENTÉ NE POUVAIT PAS TROUVER LE SOMMEIL...

...UNE MEUTE HURLAIT...
OOOWOOOOOOOWOOOOOOOOOOWOOOOOOOO
WOOOO
...ET YAKARI S'ENFONÇAIT DANS UN RÊVE.

DÉTOURNE-TOI DE TA PEUR ...
... CE N'EST PAS POUR RIEN QUE NOS CHEMINS SE CROISENT.
OOOOOOWOOOOOOOOWOOOOOOOOOO
LE LOUP BOITEUX !
OOOOWOOWOOOOOWOOOO
LOUP TOURMENTÉ !

oOOOOOoWoOOOOoOWoOoOOOOoWoOOOOOOWoOOOoWOOOOWoOoOo
OOOOOOWoOOOOooo
ILS SE TAISENT...
LES LOUPS ! ILS N'ÉTAIENT PAS SEULEMENT DANS MON RÊVE...

AU MATIN...
JE ME DEMANDE SI PETIT TONNERRE A AUSSI ENTENDU LES LOUPS...

...IL FAUT QUE JE LE VOIE !
LES TRACES DU LOUP BOITEUX !

IL EST VENU TOUT PRÈS... POURQUOI ?

TU AS ENTENDU LES LOUPS ?
OUI, ET EN PLUS, J'EN AI RÊVÉ !

...ET ALORS, J'ÉTAIS TOUT SEUL AU MILIEU D'UN TAS DE LOUPS QUI ME REGARDAIENT.
JE N'AIME PAS ÇA !

ET CE N'EST PAS TOUT : EN VENANT VERS TOI, J'AI VU LES TRACES DU LOUP BOITEUX ...
AÏE !

JE CROIS QUE JE DOIS LES SUIVRE. TU VIENS AVEC MOI ?

À TA PLACE, JE RESTERAIS TRANQUILLE. EN TOUT CAS, MOI, JE NE VIENS PAS. JE N'AIME PAS LES LOUPS !

JE VAIS QUAND MÊME LES SUIVRE !

PENDANT CE TEMPS...

!

IL N'ÉTAIT PAS AVEC EUX.
LA PREMIÈRE FOIS QUE NOUS NOUS SOMMES TROUVÉS FACE À FACE...
... J'AI VU QU'IL ME BRAVAIT !

JE LE PISTAIS DEPUIS DES HEURES.

TU... TU BOITES!...
...TU N'IRAS PAS LOIN...

JE L'AI CHERCHÉ PARTOUT DANS LES ROCHERS ... IL N'AVAIT PAS PU ALLER LOIN, PUISQU'IL BOITAIT.
COMMENT AVAIT-IL FAIT POUR M'ÉCHAPPER ?
JE NE L'AI JAMAIS SU !
LOIN DE LÀ ...
ET SI C'ÉTAIT UN PIÈGE ?
IL VEUT PEUT-ÊTRE ME MANGER ...
YAKARI !

GRAND AIGLE !
ON DIRAIT QUE JE T'AI FAIT PEUR...

OUI, JE CROYAIS QUE C'ÉTAIT LE LOUP !

ET MÊME SI C'ÉTAIT LE LOUP, POURQUOI AVOIR PEUR ?

PARCE QUE LES LOUPS SONT MÉCHANTS !

RÉFLÉCHIS, YAKARI. TU SAIS QUE TU ES AU PAYS DES LOUPS ET IL NE T'EST RIEN ARRIVÉ...
... DEPUIS QUE TU MARCHES SEUL DANS LE BOIS. DONC...

DONC, C'EST VRAI ! ILS NE ME VEULENT PAS DE MAL !

ALORS, GRAND AIGLE, TU ES D'ACCORD. J'AI RAISON DE SUIVRE CETTE PISTE...
CE N'EST PAS POUR RIEN, YAKARI, QUE TU AS MIS TES PAS DANS CES TRACES...
IL A PARLÉ COMME LE LOUP BOITEUX DANS MON RÊVE...
!

JE T'ATTENDAIS, PETIT HOMME.
EUH... AH... OUI ?
VIENS PLUS PRÈS...
C'EST BIEN TOI QUE J'AI VU L'AUTRE JOUR AU PIED DU GRAND SAPIN ?

OUI, JE VOULAIS TE CONNAÎTRE. QUEL EST TON NOM ?

YAKARI, ET TOI ?
APPELLE-MOI TROIS-PATTES !

POURQUOI VOULAIS-TU ME CONNAÎTRE ?

JE VEUX QUE TU N'AIES PLUS PEUR DES LOUPS...

TU SAIS, TROIS-PATTES, J'AI RÊVÉ DE TOI CETTE NUIT...

... ET LES LOUPS HURLAIENT !

LES LOUPS NE HURLENT PAS, ILS CHANTENT !
ILS CHANTENT ?

OUI, ET JE VAIS TE DIRE POURQUOI ...

... IL Y A LONGTEMPS, TRÈS LONGTEMPS, QUAND LES LOUPS FORMÈRENT LE PREMIER CLAN, ILS FURENT SI HEUREUX QU'ILS ENTONNÈRENT UN LONG, UN INTERMINABLE CHANT...
OOOOOWOOOOOOOOOOOOWOOOOO

CE CONCERT NE PLUT PAS AU SOLEIL, QUI SE COUCHA PLUS TÔT QUE D'HABITUDE EN SE BOUCHANT LES OREILLES AVEC DES NUAGES.
OOOW-OOOOOOO-OOOOOWOO

MAIS LA MYSTÉRIEUSE MUSIQUE DES LOUPS ATTIRA LA LUNE, QUI SE FIT TOUTE RONDE POUR MIEUX L'ÉCOUTER. FIERS D'AVOIR UNE SI BELLE AUDITRICE, LES CHANTEURS REDOUBLÈRENT D'ARDEUR, ET C'EST CE QU'ILS FONT ENCORE, LES SOIRS DE PLEINE LUNE...
OOOW-OOOOOOOOW-OOOOW

QUELLE BELLE HISTOIRE !
ET TU SAIS, LES LOUPS AIMENT AUSSI JOUER !

ILS JOUENT ?
VIENS PAR ICI !
COMME ILS SONT JOLIS !

ILS S'AMUSENT BIEN !

ALORS, YAKARI, LES LOUPS TE FONT TOUJOURS AUSSI PEUR ?
EUH... NON !

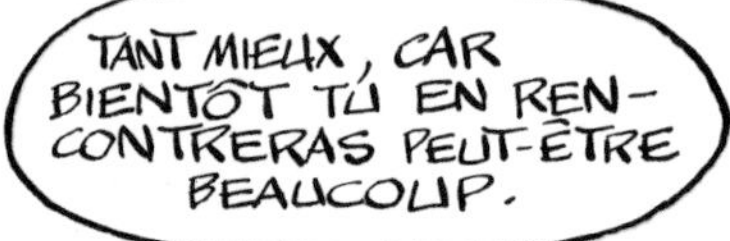
TANT MIEUX, CAR BIENTÔT TU EN RENCONTRERAS PEUT-ÊTRE BEAUCOUP.

AH ?
LE MOMENT VENU, JE VIENDRAI TE CHERCHER. MAINTENANT, VA RETROUVER LES TIENS.

CETTE NUIT-LÀ, UN MYSTÉRIEUX CONCILIABULE RÉUNISSAIT LES LOUPS...
LE LENDEMAIN MATIN...
LE CORBEAU A SENTI UNE PRÉSENCE, LÀ-BAS...
JE VEUX SAVOIR! ...

!!
IL VIENT DE PASSER !
YAA !
LE VOILÀ !
CETTE FOIS, TU NE M'ÉCHAPPERAS PLUS !!

OÙ EST-IL PASSÉ ?
IL A DÛ S'ENFUIR PAR LÀ ...

MAIS... CE N'EST PAS LÀ BONNE TRACE ! CELUI-CI NE BOITE PAS...

IL DOIT ÊTRE ENCORE DANS LA GROTTE !

HIIIIIIIIIII
?

HIII

MON LOUP !?

LE DÉMON! COMMENT A-T-IL FAIT POUR SORTIR DE LA GROTTE ?

!!
IL M'A DÉJÀ ATTIRÉ DANS CES ROCHERS, IL Y A TROIS HIVERS ...

C'EST DONC ICI QUE TU VEUX TE BATTRE ?...

J'ARRIVE !

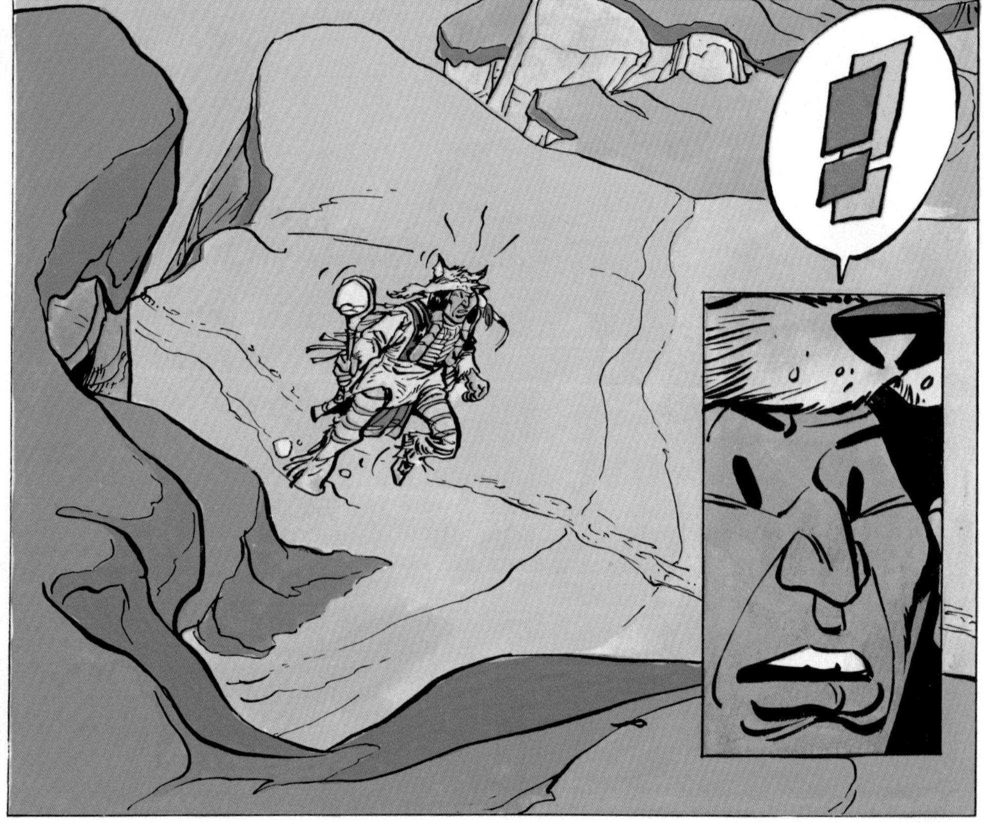
!

HIIIIIIIIII

JE SUIS TOMBÉ DANS TON PIÈGE... MAIS VOUS N'AUREZ PAS MA PEAU SI FACILEMENT !!

PLUS TARD, AU VILLAGE ...
LE MUSTANG DE LOUP TOURMENTÉ !

ET LUI, OÙ EST-IL ?
SA FOLIE L'ÉGARE...

ALLONS À SA RECHERCHE !
LOUP TOURMENTÉ NE LE VOUDRAIT PAS. IL VEUT S'EXPLIQUER AVEC LES LOUPS .

ENCORE PLUS TARD, CETTE NUIT-LÀ ...

LOUP TOURMENTÉ DOIT ACCEPTER DE RESPECTER LES MIENS, COMME NOUS RESPECTONS LES TIENS !

TA MISSION EST DE LUI FAIRE COMPRENDRE CELA .
ET APRÈS, QU'EST-CE QU'IL LUI ARRIVERA ?

EN SIGNE DE SOUMISSION, IL DEVRA PASSER AU MILIEU DE NOUS À QUATRE PATTES .

ALORS SEULEMENT, IL AURA LA VIE SAUVE. AINSI LE VEUT LE CHEF DES LOUPS !
NOUS SOMMES ARRIVÉS !

VA PARLER À LOUP TOURMENTÉ !

QU'EST-CE QUE VOUS ATTENDEZ ? MOI, JE SUIS PRÊT !
?!

YAKARI ! TU ES FOU ? TU NE VOIS PAS CES LOUPS ?! SAUVE-TOI !

JE DOIS TE PARLER, LOUP TOURMENTÉ.
!!
ILS... ILS NE TE FONT RIEN ? C'EST... C'EST DE LA MAGIE !!
JE VAIS T'EXPLIQUER ...

YAKARI RACONTA À LOUP TOURMENTÉ CE QUE TROIS-PATTES LUI AVAIT DIT.
...À QUATRE PATTES ?
OUI, TU DOIS LEUR OBÉIR !
TU AS RAISON.

LOUP TOURMENTÉ S'ÉTANT SOUMIS, LE CHEF DE LA MEUTE DONNA AUX LOUPS L'ORDRE DE SE RETIRER.
OWOOOOOOWOOOOOOO

ILS SONT TOUS PARTIS.

TU AS ÉTÉ PARFAIT, YAKARI !

VIENS, LE CHEF DES LOUPS VEUT TE PARLER.

ATTENDS ICI.

?

TU ME RECONNAIS, YAKARI ?
TROIS-PATTES ! MAIS... TU NE BOITES PLUS...

HA, HA ! JE N'AI JAMAIS BOITÉ !
JE NE COMPRENDS PAS.

IL Y A TROIS HIVERS, LOUP TOURMENTÉ ME POURCHASSAIT. NOUS NOUS SOMMES BATTUS ICI MÊME, IL M'A FRAPPÉ À L'ÉPAULE...

...J'AI EU TRÈS MAL, MAIS JE N'AVAIS RIEN DE CASSÉ. LUI AUSSI ÉTAIT BLESSÉ...
...J'AI COMPRIS QUE SI JE VOULAIS LUI ÉCHAPPER, IL FALLAIT RUSER. J'AI FAIT SEMBLANT DE BOITER...
...ALORS IL A CRU QU'IL POUVAIT ME RATTRAPER FACILEMENT. PENDANT QU'IL ME CHERCHAIT TOUT PRÈS D'ICI, J'AI EU LE TEMPS DE M'ENFUIR AU LOIN... QUAND IL EST REVENU, CET HIVER, JE ME SUIS FAIT RECONNAÎTRE DE LUI EN BOITANT, POUR L'ATTIRER DANS CE PIÈGE.
TU ES PLEIN DE RUSE...
JE SUIS UN LOUP, YAKARI.

LOUP TOURMENTÉ SE TIENDRA DÉSORMAIS TRANQUILLE. PLUS JAMAIS IL NE VIENDRA NOUS HARCELER. TOI, YAKARI, TU ES NOTRE AMI. TU SERAS TOUJOURS LE BIENVENU AU PAYS DES LOUPS !

AU MÊME MOMENT, NON LOIN DU CAMP ...
JE T'ATTENDAIS, LOUP TOURMENTÉ. VOICI TON MUSTANG ...
APPELLE-MOI LOUP TRANQUILLE ! LA PAIX EST REVENUE DANS MON ESPRIT.
1 IV 82
DERIB + JOB
FIN